Je réussis la maternelle
avec **Super Zapp** !

Je réussis la maternelle

avec

SUPER ZAPP !

Yolaine Tremblay

CEC parasco

9001, boul. Louis-H.-La Fontaine, Anjou (Québec) Canada H1J 2C5
Téléphone : 514-351-6010 • Télécopieur : 514-351-3534

Direction de l'édition
Alexandra Labrèche

Direction de la production
Danielle Latendresse

Direction de la coordination
Rodolphe Courcy

Charge de projet
Catherine Aubin

Conception de la couverture
Accent Tonique

Réalisation graphique
Interscript

Illustration de la couverture
François Thisdale

Conception et réalisation graphique de l'édition originale *Croque-maternelle*
Christine Battuz / Kuizin Studio
Cyclone design communications inc.

Illustrations
Christine Battuz
François Thisdale

Je réussis la maternelle avec Super Zapp !
© 2011, Les Éditions CEC inc.
9001, boul. Louis-H.-La Fontaine
Anjou (Québec) H1J 2C5

Dépôt légal : 2011
Bibliothèque et Archives nationales du Québec
Bibliothèque et Archives Canada

ISBN 978-2-7617-3517-9

Imprimé au Canada
1   2   3   4   5   15   14   13   12   11

Édition originale *Croque-maternelle*
© **Les Éditions Trécarré**, Groupe Librex inc., Une compagnie de Quebecor Media, 2002, La Tourelle, 1055, boul. René-Lévesque Est, Bureau 800, Montréal (Québec) H2L 4S5.
Tous droits de reproduction, de traduction et d'adaptation réservés pour tous pays.

Table des matières

Mot aux parents

Chers parents,

Vous vous demandez sans doute pourquoi acheter un cahier d'activités pour un enfant de 5 ou 6 ans, puisque à la maternelle les enfants semblent passer leur journée à jouer.

Il est vrai que le jeu occupe une grande place parce que les enfants adorent s'amuser. Mais le jeu n'est qu'un prétexte à l'apprentissage.

À la maternelle, on encourage les enfants à développer des compétences en touchant plusieurs domaines d'activités et à acquérir des connaissances. Ce stade doit permettre à l'enfant de « développer des compétences d'ordre psychomoteur, affectif, social, langagier, cognitif et méthodologique relatives à la connaissance de soi, à la vie en société et à la communication » (Programme d'éducation préscolaire, MELS, p. 52).

Par le biais du présent cahier, votre enfant développera, à travers les diverses activités, la motricité fine (découper, tracer, coller) ainsi que le langage oral et écrit. Il apprendra en outre à se situer dans l'espace et le temps de même qu'à classifier. Il touchera ainsi à la mathématique, au français, à la science et aux arts.

Cela lui permettra de développer des habiletés et d'acquérir des connaissances spécifiques : les parties du corps, les sens, les positions (derrière, en avant, sous, entre, à gauche, à droite), les rimes, les lettres de l'alphabet, le dénombrement (compter), l'association (objet / forme), le regroupement, le classement, la régularité (les suites), les saisons, les jours de la semaine et l'espace (haut, bas, près, loin, milieu).

Vous verrez que Super Zapp n'invite jamais les enfants à l'apprentissage, mais plutôt au jeu. Laissez-vous aller à jouer avec votre enfant à l'aide de ce cahier et vous verrez qu'il apprendra malgré lui.

Super Zapp et moi-même vous souhaitons beaucoup de plaisir, à votre enfant et à vous.

L'auteure

7

Super Zapp se présente

Bonjour, je m'appelle Super Zapp.
Je suis très content que tu viennes
jouer avec moi. Voici mon portrait.

Nom: Super Zapp

J'aimerais te connaître maintenant.
Dessine ton portrait et écris ton prénom. Merci.

Prénom: _____

Aide-mémoire

Pour jouer avec moi,
tu devras utiliser les outils suivants.
Regarde-les bien pour savoir
ce dont tu auras besoin.

crayon à mine

colle

crayons de couleur

ciseaux

Voici les couleurs qui te seront utiles dans
les jeux. Demande à un adulte de colorier
les dessins suivants avec toi.

rouge

jaune

bleu

brun

vert

orange

Si tu as besoin d'aide pour reconnaître tes chiffres, tu pourras revenir ici à tout moment.

1

2

3

4

5

6

7

8

9

10

Si tu as besoin d'aide
pour savoir comment écrire une
lettre, tu pourras venir regarder ici.
N'oublie pas que l'on commence
toujours à écrire une lettre
à partir du haut.

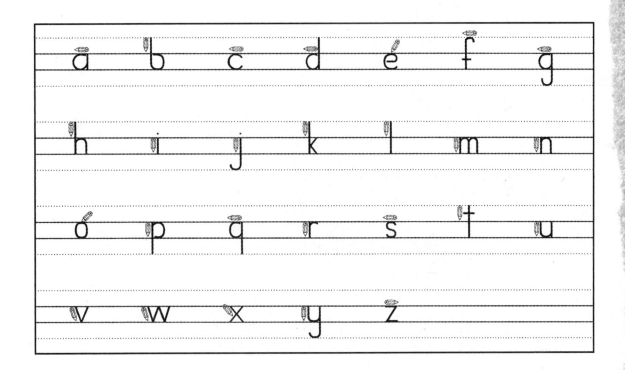

Les pommes

Le pique-nique

Aide Super Zapp à mettre les quatre
pommes dans le panier. Utilise un crayon
de couleur différent pour tracer
le chemin de chaque pomme.

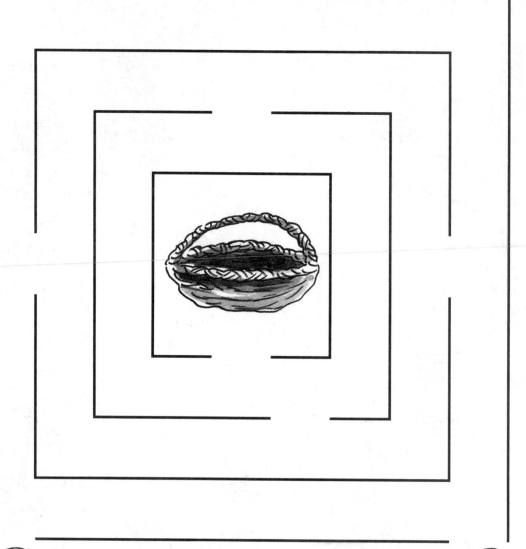

La cueillette

Colorie en rouge les pommes
dans l'arbre qui ont la même lettre
que la pomme dessinée sur le tronc.

Une bonne collation

Chaque enfant aimerait manger une pomme comme collation. Avec ton crayon relie chaque enfant à une pomme.

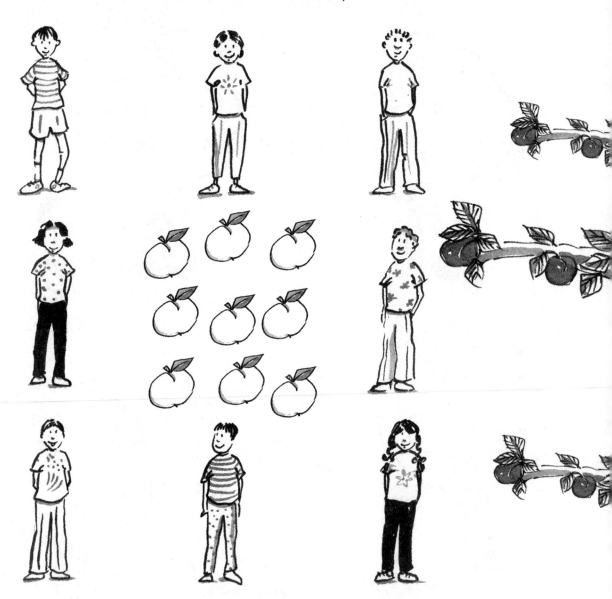

Combien y a-t-il de pommes de trop?
Encercle le bon chiffre.

1   2   3   4   5   6   7   8   9

L'image manquante

Découpe les images de droite.
Colle-les au bon endroit pour
compléter chaque suite.

1.

  (panier) (arbre) (panier) (arbre) (panier) ?

2.

  (pomme) (coureuse) (pomme) (coureuse) (pomme) ?

3.

  (cuisinier) (pomme) (cuisinier) (pomme) (cuisinier) ?

4.

     ?

Le temps des pommes

À l'automne, c'est le temps des pommes.
Encercle les images qui te font penser
à l'automne.

1.

2.

3.

4.

5.

6.

Histoire d'une pomme

Découpe les images de droite.
Colle-les dans l'ordre pour raconter
l'histoire de la pomme,
du pommier à la tarte.

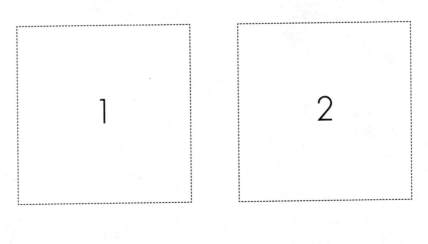

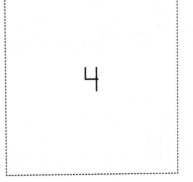

19

Le mot « pomme »

Découpe les lettres au bas de la page.
Colle-les au bon endroit pour
écrire le mot **pomme**.

p	o	m	m	e

e	m	p	o	m

Trie les pommes

Relie par un trait les petites pommes
au petit panier.
Relie les grosses pommes
au gros panier.

En haut, en bas

♡

Colorie en rouge les enfants
en haut du podium.
Colorie en bleu les enfants en bas du podium.

 1

 2

3

 4

 5

 6

 7

 8

 9

Compte les pommes

Colorie autant de pommes que le chiffre indiqué
à côté de chaque pommier.

Où te caches-tu ?

♡
1. Colorie en rouge l'enfant qui court **entre** les pommiers.

2. Colorie en bleu le chat **en bas** de l'échelle.

3. Colorie en vert le pommier avec **le plus** de pommes.

4. Colorie en jaune l'enfant **derrière** le pommier.

Trouve les « P »

Dessine une pomme sur les bureaux
où il y a la lettre P.

La chasse aux mots

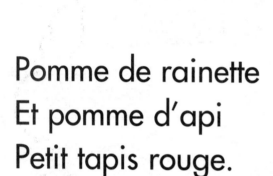

Encercle le mot **pomme**
dans la chanson suivante.

Pomme de rainette
Et pomme d'api
Petit tapis rouge.

Pomme de rainette
Et pomme d'api
Petit tapis gris.

Dessine des pommes

Colorie le dessin aux couleurs de ton choix.
Ajoute des pommes au pommier.

Le corps humain

À quoi servent les sens ?

L'ouïe
Dessine l'animal dont
le chant ou le cri te plaît.

La vue
Dessine un objet ou
une personne que
tu aimes regarder.

Le toucher
Dessine un objet ou un
animal que tu trouves
doux au toucher.

L'odorat
Dessine un aliment
dont tu aimes l'odeur.

Le goût
Dessine un aliment
dont tu aimes le goût.

La lettre mystère

Encercle les lettres dans les mots suivants comme celles indiquées à gauche.

a	épaule	main	bras	jambe

e ê é	tête	pied	épaule	nez

i	oreille	cheville	oeil	main

o	genou	cou	doigt	orteil

u	cou	épaule	genou	cheveu

Drôle de visage

Colorie le visage ci-dessous
en respectant les consignes suivantes :

les cercles ◯   en bleu
les carrés ▢   en brun
les triangles △   en jaune
les rectangles ▭   en rouge

L'image manquante

Découpe les images de droite.
Colle-les au bon endroit pour
compléter chaque suite.

1.

2.

3.

4.

  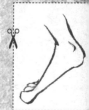

Le temps qu'il fait

Relie les vêtements au bon enfant
selon le temps qu'il fait.

1.

2.

Histoire d'un matin

Découpe les images de droite.
Colle-les dans l'ordre pour raconter
l'histoire de l'enfant qui s'habille
le matin avant de déjeuner.

1	2	3
4	5	6

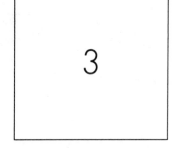

35

Le ménage des vêtements

Aide Super Zapp à faire le ménage des vêtements. Relie chaque vêtement avec la partie du corps qu'il habille.

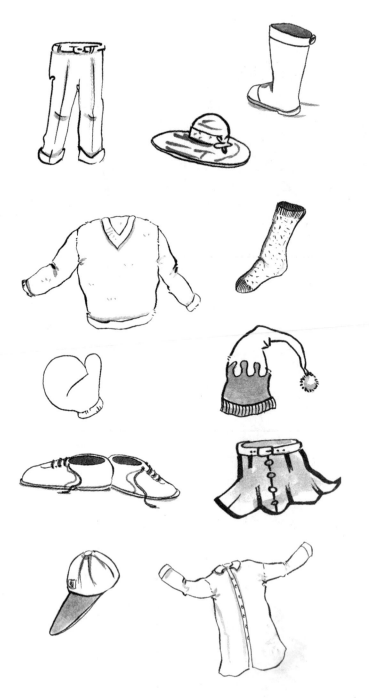

Les parties du corps

Découpe les mots de droite.
Colle-les au bon endroit.
Utilise le modèle de gauche
pour t'aider.

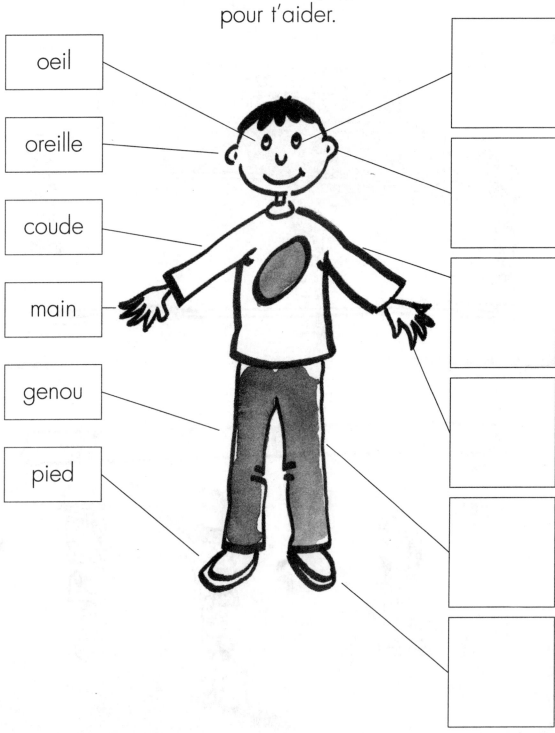

oeil

oreille

coude

main

genou

pied

37

Près, loin

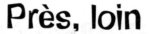

Colorie en vert les enfants
qui sont près de l'autobus.

Colorie en jaune ceux
qui sont loin.

Compte sur ton corps

Combien as-tu de...?
Écris le bon chiffre
à côté de chaque dessin.

1
10
2

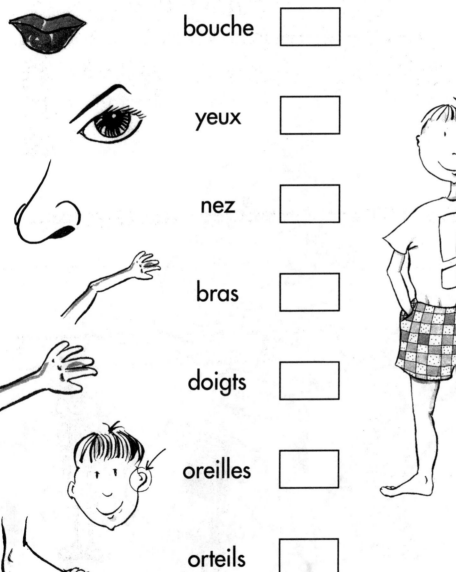

bouche ☐

yeux ☐

nez ☐

bras ☐

doigts ☐

oreilles ☐

orteils ☐

39

Qui suis-je ?

1. Je te permets de goûter. Encercle-moi en rouge.

2. Nous sommes utiles pour écouter. Dessine-nous en vert.

3. Je te renseigne sur les odeurs. Encercle-moi en jaune.

4. Avec nous, tu vois les couleurs. Encercle-nous en bleu.

5. Nous servons à toucher. Encercle-nous en brun.

Images mystères

Trace les lignes pointillées
pour découvrir tes sens.

odorat

ouïe

vue

goût

toucher

41

La chasse aux mots

Découpe les images de gauche.
Colle-les sous les bons mots de la chanson suivante.

tête

épaule

genoux

orteils

yeux

nez

bouche

oreilles

tête,   épaules,   genoux,   orteils

genoux,   orteils,   genoux,   orteils

tête,   épaules,   genoux,   orteils

yeux,   nez,   bouche,   oreilles

L'alimentation

Labyrinthe

Retrouve ton chemin à travers
la grappe de raisins.

Départ

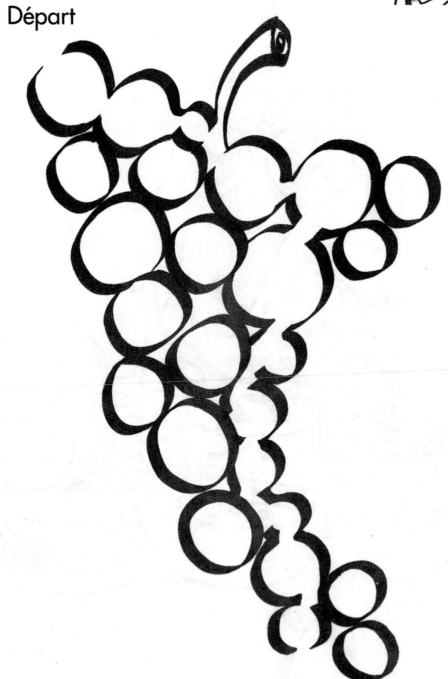

Arrivée

Relie les points

Relie les lettres dans l'ordre alphabétique pour faire apparaître un dessin.

Ordre alphabétique :
A B C D E F G H I J K L M

Je joue avec les lettres

Encercle les lettres nécessaires
pour écrire ces trois mots.

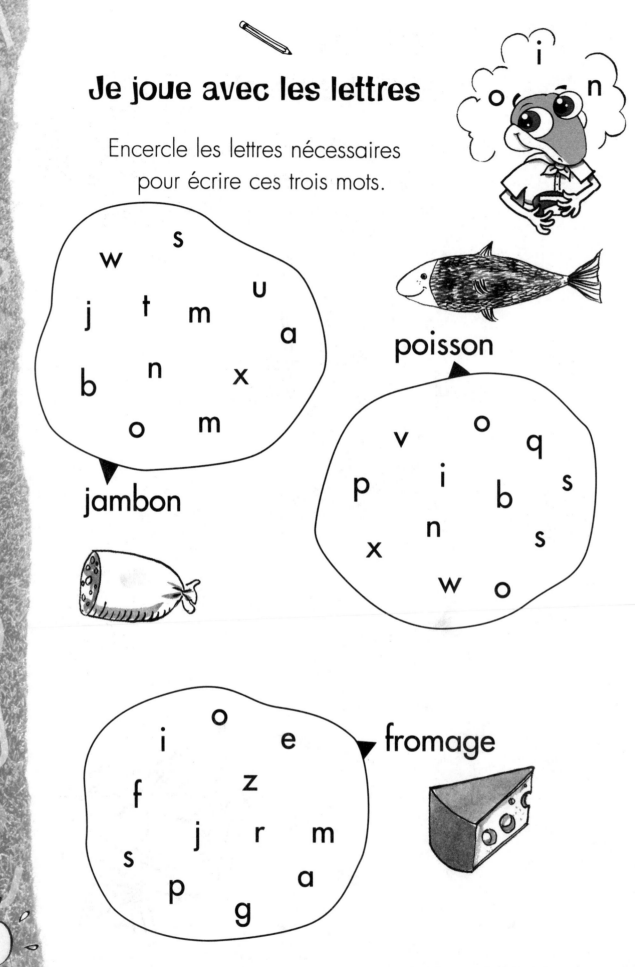

poisson

jambon

fromage

Complète les suites

Découpe les images de droite.
Colle-les au bon endroit pour
compléter chaque suite.

1.

2.

     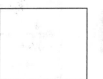

3.

4.

47

Le temps des récoltes

Selon les indices suivants, quelle est la saison des récoltes? Encercle ta réponse.

Indices :

- *C'est le temps des pommes et du retour en classe.*

- *C'est le temps des citrouilles et de l'Halloween.*

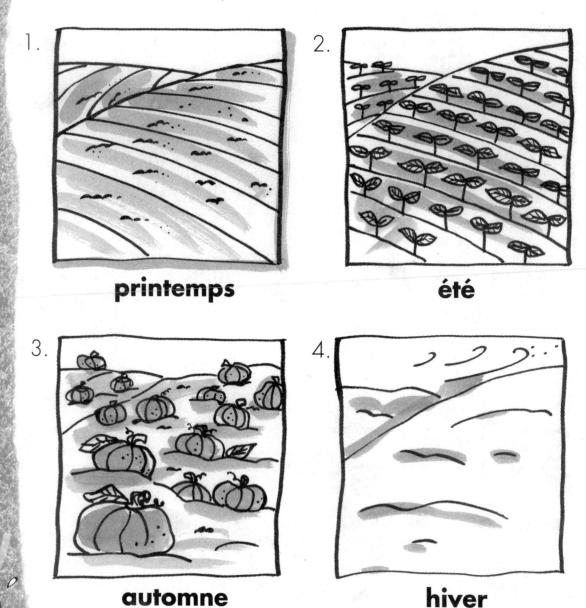

1. **printemps**

2. **été**

3. **automne**

4. **hiver**

Histoire d'un légume

Découpe les images de droite.
Colle-les dans l'ordre pour expliquer
comment pousse un légume.

1	2	3
4	5	6

49

À la recherche des lettres

Dans chaque grille, encercle les lettres nécessaires pour écrire les mots suivants.

riz

i	a	r
g	z	k
l	m	c

z	p	o
b	m	e
m	a	i

pomme

maïs

b	m	a
f	ï	e
z	u	s

Les groupes alimentaires

Relie les aliments suivants au
bon groupe alimentaire.

Intérieur, extérieur

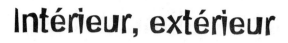

♡
Colorie en rouge les enfants
à l'intérieur de la piscine.

Colorie en bleu les enfants
à l'extérieur de la piscine.

Savez-vous compter... des fruits?

Colorie le nombre d'objets demandés dans la colonne de gauche.

4	
5	
2	
10	
7	
6	
8	

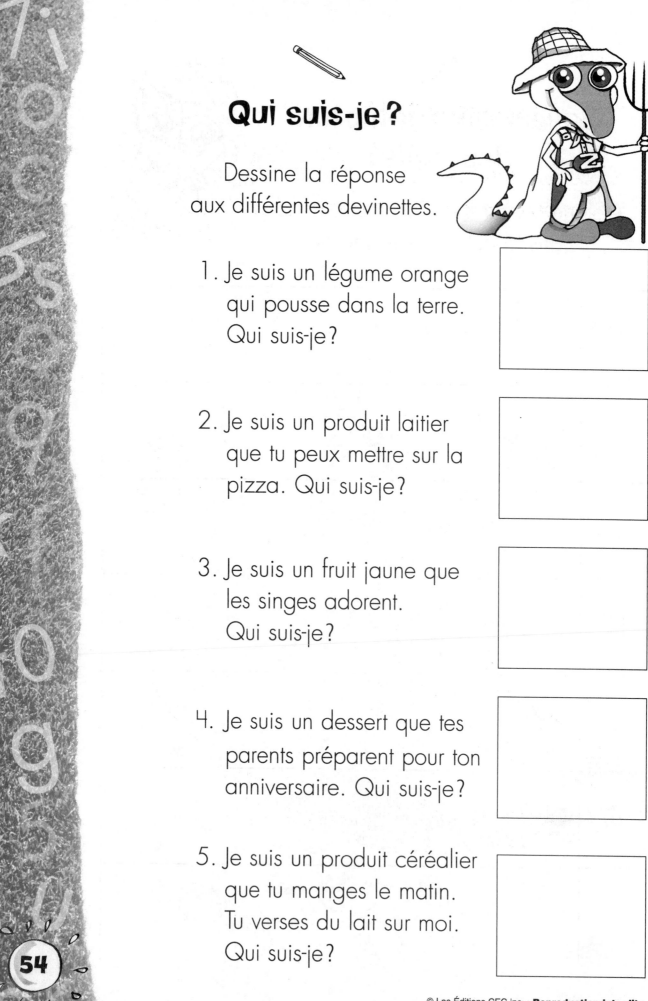

Qui suis-je ?

Dessine la réponse aux différentes devinettes.

1. Je suis un légume orange qui pousse dans la terre. Qui suis-je ?

2. Je suis un produit laitier que tu peux mettre sur la pizza. Qui suis-je ?

3. Je suis un fruit jaune que les singes adorent. Qui suis-je ?

4. Je suis un dessert que tes parents préparent pour ton anniversaire. Qui suis-je ?

5. Je suis un produit céréalier que tu manges le matin. Tu verses du lait sur moi. Qui suis-je ?

Dessin mystère

Trace les lignes pointillées pour faire apparaître le dessin mystère.

Comptine

Illustre la comptine suivante.

Un petit bonhomme
rond comme une pomme
ses yeux sont en radis
ses cheveux en céleri
une banane est son sourire
une fraise pour sentir.

Les formes

Regarde bien les formes suivantes.
Dessine l'aliment auquel chaque forme
te fait penser.

Exemple :

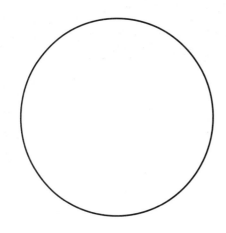

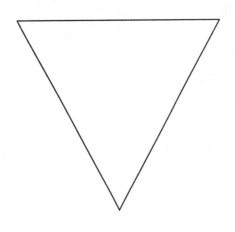

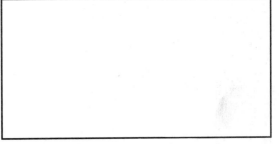

Les planètes

La fusée

Trace le bon chemin pour conduire
la fusée jusqu'à la planète.

Les planètes

Copie le nom de chacune des planètes suivantes.

Terre

Vénus

_ _ _ _ _

_ _ _ _ _

Mars

Jupiter

_ _ _ _

_ _ _ _ _ _ _

Saturne

Neptune

_ _ _ _ _ _ _

_ _ _ _ _ _ _

Uranus

_ _ _ _ _ _

Mercure

_ _ _ _ _ _ _

Les formes

Colorie ce dessin en respectant
les consignes suivantes :

les cercles ○ en bleu
les triangles △ en jaune
les rectangles ▭ en rouge
les carrés □ en brun

Les suites

Découpe les images de droite.
Colle-les au bon endroit pour
compléter chaque suite.

1.

2.

3.

4.

5.

6.

63

Le calendrier

Super Zapp a inscrit ses observations
du ciel sur son calendrier.
Regarde-le bien et réponds
aux questions suivantes.

dimanche	lundi	mardi	mercredi	jeudi	vendredi	samedi
☀	🪐	✦ ✦	🌙	🚀	🌙✦	☁

1. Quelle journée a-t-il vu deux étoiles?

_____

2. Quelle journée a-t-il vu Saturne?

_____

3. Quelle journée a-t-il vu la Lune et une étoile?

_____

4. Quelle journée a-t-il vu une fusée?

_____

5. Quelle journée a-t-il vu seulement la Lune?

_____

Histoire d'un astronaute

Découpe les images de droite.
Colle-les dans l'ordre pour raconter
l'histoire de l'astronaute.

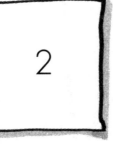 2    3

5   6

Vocabulaire

Encercle le mot
qui représente l'image.

miel

Soleil

abeille

Lune

prune

Saturne

épée

musée

fusée

poire

toi

étoile

Classement

Relie les objets à l'endroit
où on les retrouve.

1.

Terre

2.

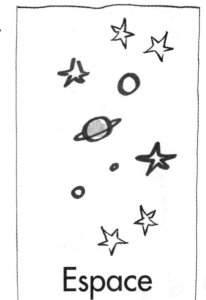

Espace

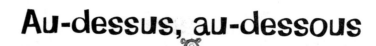

Au-dessus, au-dessous

Colorie en brun les planètes
au-dessus du Soleil.

Colorie en vert les planètes
au-dessous du Soleil.

Dénombrement

Compte les dessins.
Encercle les bons chiffres.

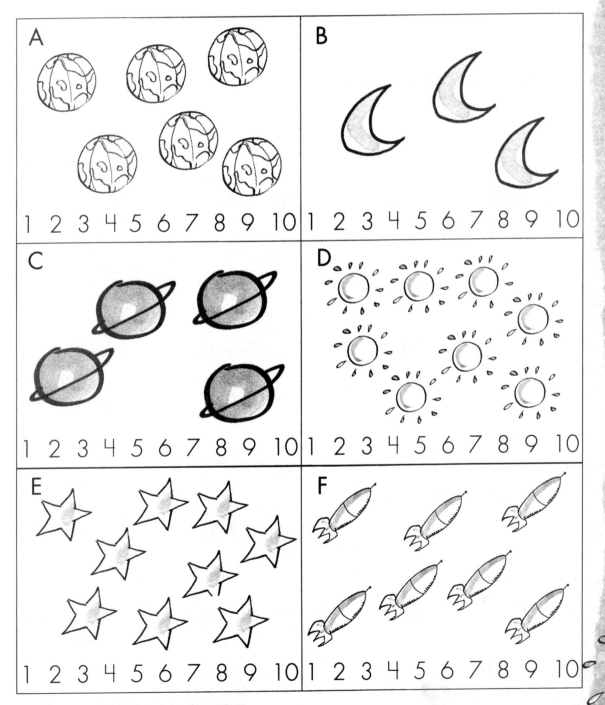

A

1 2 3 4 5 6 7 8 9 10

B

1 2 3 4 5 6 7 8 9 10

C

1 2 3 4 5 6 7 8 9 10

D

1 2 3 4 5 6 7 8 9 10

E

1 2 3 4 5 6 7 8 9 10

F

1 2 3 4 5 6 7 8 9 10

69

Devinettes

Devine qui je suis. Découpe les images de gauche.
Colle-les au bon endroit.

1. Je brille dans le ciel la nuit.

2. Quand tu es distrait, on dit que
tu es dans la…

3. Je réchauffe la Terre de mes rayons.

4. Je suis ta planète. On m'appelle aussi
la planète bleue.

5. Je suis une planète avec un anneau.

Dessin mystère

Trace les lignes pointillées pour voir apparaître un engin de l'espace.

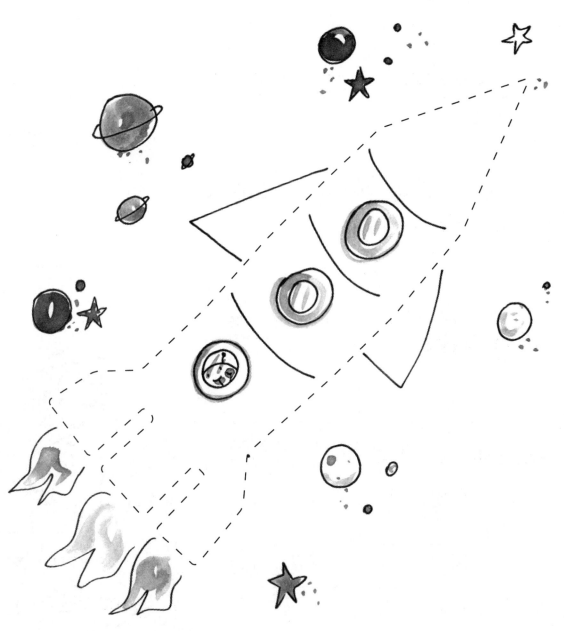

La chasse aux mots

Découpe les images de gauche.
Colle-les sous les bons mots
de la chanson suivante.

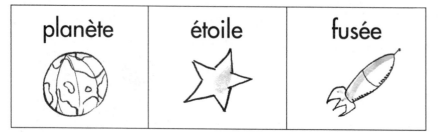

planète	étoile	fusée

Système solaire, système solaire

que caches-tu ? que caches-tu ?

Des planètes, des étoiles

des planètes, des étoiles

et des fusées, et des fusées.

Les animaux

Labyrinthe

Aide Super Zapp à trouver le chien.
Suis les rues de la ville, mais attention,
si une voiture bloque la route,
fais demi-tour et prends un autre chemin.

Trie des mots

Découpe les noms des animaux.
Colle-les dans la bonne case selon qu'ils
ont un « e » ou pas de « e ».

chien

cheval

canard

girafe

chat

lapin

écureuil

renard

lion

vache

cochon

mouton

La bonne nourriture

Aide Super Zapp à distribuer la nourriture. Relie chaque animal à sa nourriture.

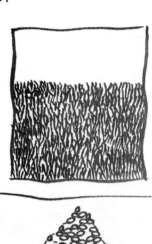

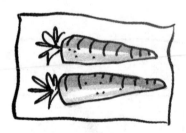

Les suites

Découpe les images de droite.
Colle-les au bon endroit pour compléter
chaque suite d'animaux.

Animaux du chaud et animaux du froid

Relie au désert les animaux qui vivent au chaud.
Relie à la banquise ceux qui vivent au froid.

1.

2.

La laine de nos moutons

Découpe les images de droite.
Colle-les dans l'ordre pour raconter l'histoire
de la laine, du mouton jusqu'au chandail.

1	2
3	4

Rimes

Relie les animaux de gauche
aux animaux de droite en t'assurant
que leurs noms riment.

 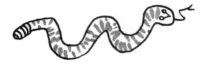

L'habitat

Découpe les images d'animaux.
Trouve l'habitat de chacun.
Colle-les au bon endroit.

Ferme   **Jungle**   **Océan**

La parade

Super Zapp assiste à une parade d'animaux.
Découvre quels animaux il a vus.

1. Il s'agit du premier animal de la parade.
   Encercle-le en rouge. ♡

2. Il s'agit de l'animal qui vient juste derrière le lion.
   Encercle-le en bleu.

3. Il s'agit de l'animal qui vient juste devant le cheval.
   Encercle-le en vert.

4. Il s'agit de l'animal placé entre le lion et la girafe.
   Encercle-le en jaune.

5. Il s'agit du dernier animal de la parade.
   Encercle-le en orange.

Je compte

Compte les animaux.
Encercle le bon chiffre.

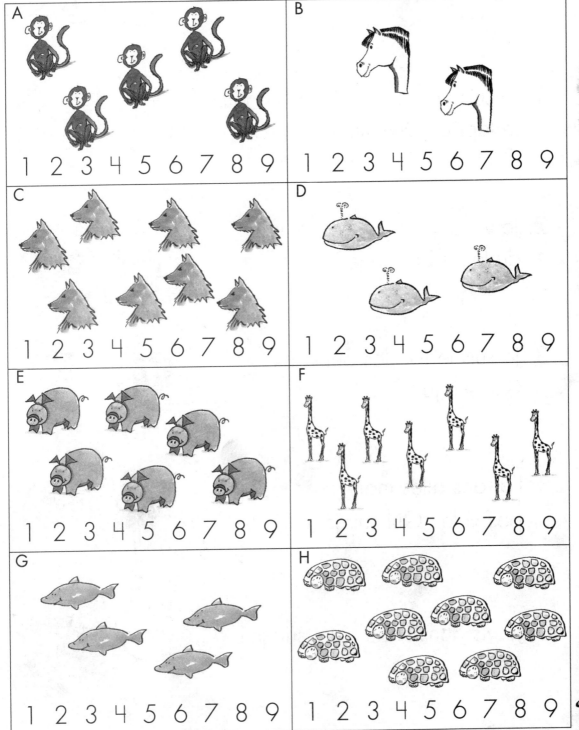

A
1 2 3 4 5 6 7 8 9

B
1 2 3 4 5 6 7 8 9

C
1 2 3 4 5 6 7 8 9

D
1 2 3 4 5 6 7 8 9

E
1 2 3 4 5 6 7 8 9

F
1 2 3 4 5 6 7 8 9

G
1 2 3 4 5 6 7 8 9

H
1 2 3 4 5 6 7 8 9

Qui suis-je ?

Lis les devinettes.
Encercle la bonne réponse.

1. Je suis un animal à quatre pattes.
   Je jappe. Qui suis-je ?

2. Je vis à la ferme. Je donne
   du lait. Qui suis-je ?

3. Je suis le roi des animaux.
   Qui suis-je ?

4. J'ai des ailes mais je ne peux
   pas voler. Qui suis-je ?

5. Je vis dans l'eau. Qui suis-je ?

Je chante

Encercle le nom des animaux suivants dans la chanson.

crocodile

rat

chat

reptile

orang-outan

mouton

éléphant

lionne

licorne

Ex.:   Y'avait des (crocodiles)
        Et des orangs-outans
        D'affreux reptiles
        Et de jolis moutons blancs
        Y'avait des chats, des rats
        Des éléphants
        Il ne manquait personne
        Pas même les deux lionnes
        Et la jolie licorne

Dessin mystère

Colorie en jaune les pièces du casse-tête
qui contiennent la lettre **j**.

Colorie en orange ceux qui
contiennent la lettre **o**.

La musique

Labyrinthe

Aide Super Zapp à rejoindre son piano. Il doit suivre le chemin des instruments de musique.

départ

Relie les points

Relie les lettres dans l'ordre alphabétique pour faire apparaître un instrument de musique.

Ordre alphabétique :

A B C D E F G H I J K L M N
O P Q R S T U V W X Y Z

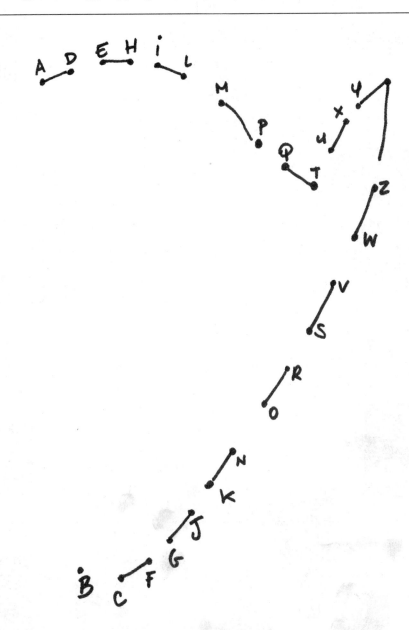

Le bon instrument

Relie chaque instrument
au bon Super Zapp.

1.

2.

3.

4.

5.

Les suites musicales

Complète les suites de mots avec les mots de droite.

harpe

flûte

tuba

triangle

triangle

maracas

tambour

piano

tambourin

piano, piano, _____ , piano, _____ , tambour

harpe, violon, flûte, _____ , violon, _____

maracas, tambourin, tambourin, _____ , tambourin, _____

tuba, triangle, tuba, _____ , _____ , _____

Le calendrier

Chaque musicien de l'orchestre pratique son instrument de musique durant la semaine. Observe leur calendrier. Réponds aux questions.

dimanche	lundi	mardi	mercredi	jeudi	vendredi	samedi
repos	violon	flûte	trompette	harpe	tambour	concert

1. Quel instrument est réservé au lundi? _____

2. Quelle journée est réservée à la harpe? _____

3. Quelle est la journée de repos? _____

4. Quel instrument est réservé au vendredi? _____

5. Quelle journée est réservée à la trompette? _____

6. Quelle journée a lieu le concert avec tout l'orchestre? _____

Histoire d'une guitare

Découpe les images de droite.
Colle-les dans l'ordre pour raconter
la fabrication d'une guitare.

1	2	3
4	5	6

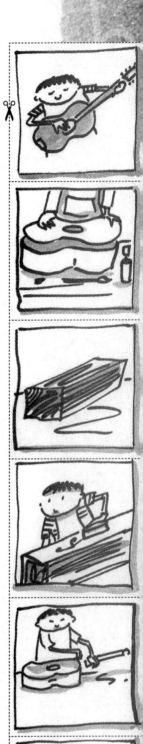

Écriture

Trace les pointillés pour écrire
le nom de ces instruments.
Puis essaie de le faire seul.

Guitare

Guitare

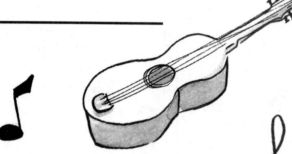

Piano

Piano

Maracas

Maracas

Flûte

Flûte

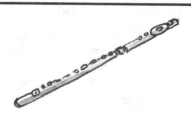

94

Familles d'instruments

Il y a trois familles d'instruments :
à cordes, à vent et à percussion.
Relie chaque instrument à la bonne famille.

Cordes
(pincer ou frotter
les cordes)

Vent
(utilise le souffle)

Percussion
(que l'on frappe
ou secoue)

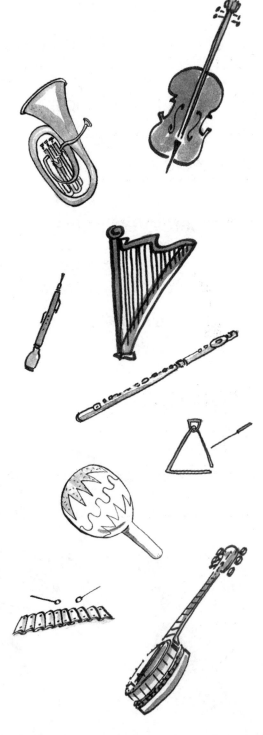

Position

Lis les consignes suivantes
pour retrouver les bons instruments.

1. Encercle en bleu l'instrument sous la flûte.

2. Encercle en rouge l'instrument au-dessus du triangle.

3. Encercle en vert l'instrument à gauche du saxophone.

4. Encercle en jaune l'instrument à droite de la guitare.

5. Encercle en orange l'instrument entre le violon
et la trompette.

Je compte

Associe le bon chiffre
à chaque groupe d'instruments.

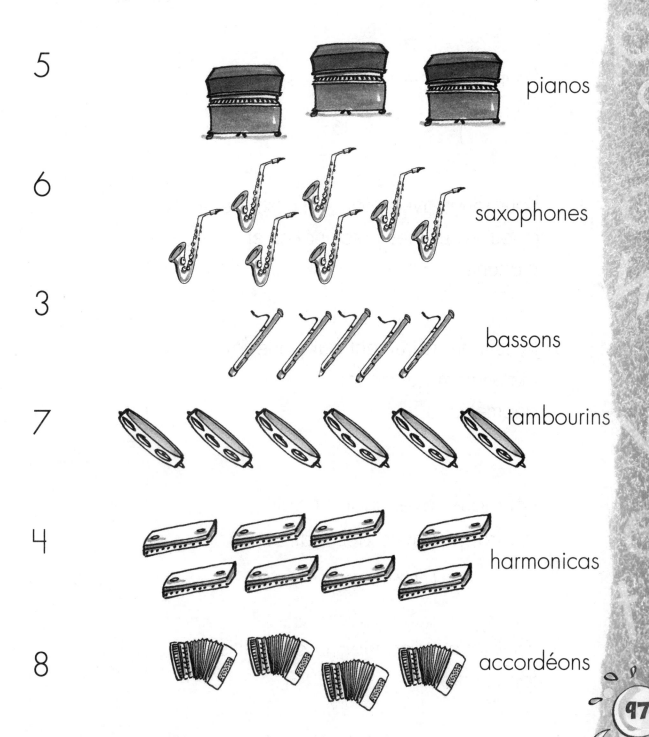

5   pianos

6   saxophones

3   bassons

7   tambourins

4   harmonicas

8   accordéons

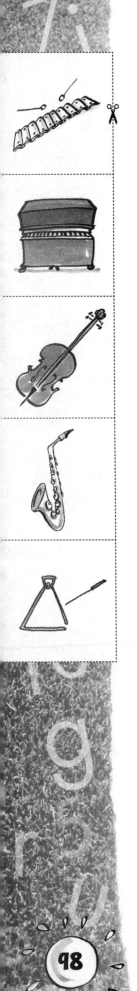

Qui suis-je ?

Découpe les images de gauche.
Colle-les au bon endroit.

1. Pour jouer avec moi, tu as besoin d'un archet.

2. Pour jouer avec moi, tu t'assois et tu appuies sur mes notes noires et blanches.

3. Je suis un instrument qui porte le même nom qu'une forme géométrique.

4. Pour jouer avec moi, tu dois me frapper avec des mailloches.

5. Pour jouer avec moi, tu dois utiliser ton souffle.

98

Dessins mystères

Trace sur les lignes pointillées pour dessiner deux instruments à percussion.

xylophone

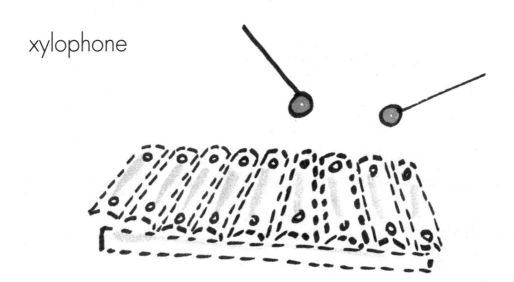

maracas

Je chante

Dans la chanson «Mon merle», le merle
perd des parties de son corps, ce qui
l'empêche de chanter. À côté de chaque
couplet, dessine la partie qu'il a perdue.

Refrain :
Comment veux-tu mon merle, mon merle,
Comment veux-tu mon merle chanter?

1. Mon merle a perdu son bec
   Mon merle a perdu son bec
   Un bec, deux becs, trois becs, marlo.

2. Mon merle a perdu son oeil
   Mon merle a perdu son oeil
   Un oeil, deux yeux, trois yeux,
   Un bec, deux becs, trois becs, marlo.

3. Mon merle a perdu ses ailes
   Mon merle a perdu ses ailes
   Une aile, deux ailes, trois ailes,
   Un oeil, deux yeux, trois yeux,
   Un bec, deux becs, trois becs, marlo.

4. Mon merle a perdu ses pattes
   Mon merle a perdu ses pattes
   Une patte, deux pattes, trois pattes,
   Une aile, deux ailes, trois ailes,
   Un oeil, deux yeux, trois yeux,
   Un bec, deux becs, trois becs, marlo.

Super Zapp
découvre l'alphabet

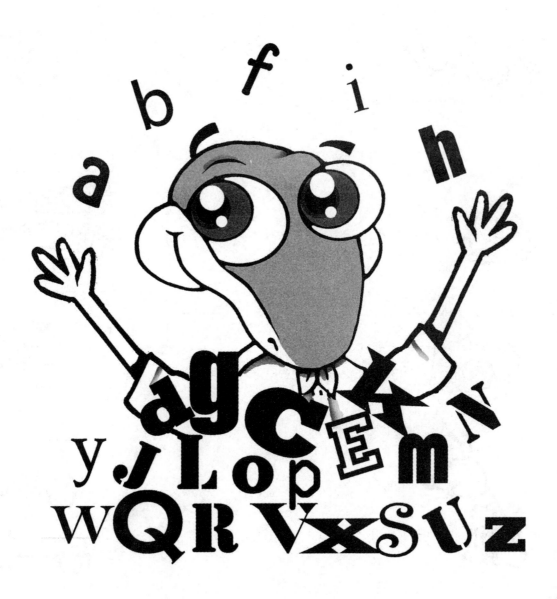

Exercice d'écriture

Sans lever ton crayon, suis les pointillés.

Exercice d'écriture

Sans lever ton crayon, suis les chemins
qui mènent aux fleurs.

L'alphabet mystère

Relie les lettres de **a** à **z** pour découvrir l'image mystère.

Écris l'alphabet

Écris les lettres manquantes
pour former l'alphabet.

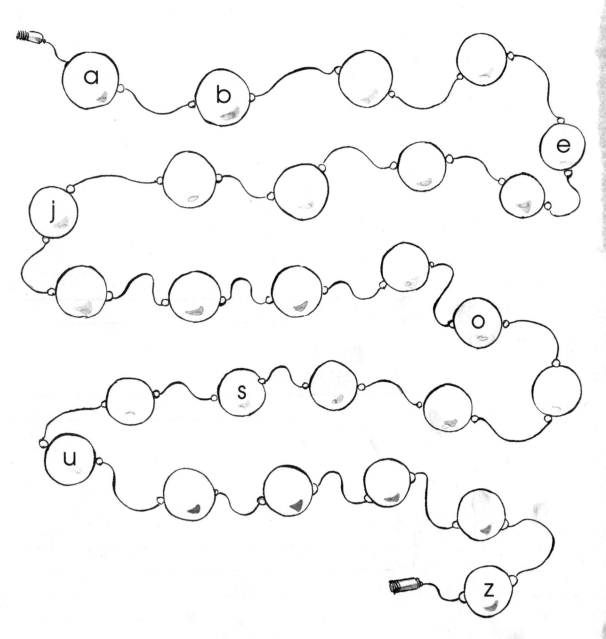

L'alphabet

Pars à la découverte de l'alphabet avec Super Zapp. Pour chaque lettre, suis les pointillés et ensuite essaie d'écrire seul. Puis, va à la page 113, découpe le dessin qui commence par cette lettre, et colle-le au bon endroit.

N'oublie pas de toujours commencer à écrire ta lettre en partant du haut.

a a a a a a a a

b b b b b b b b

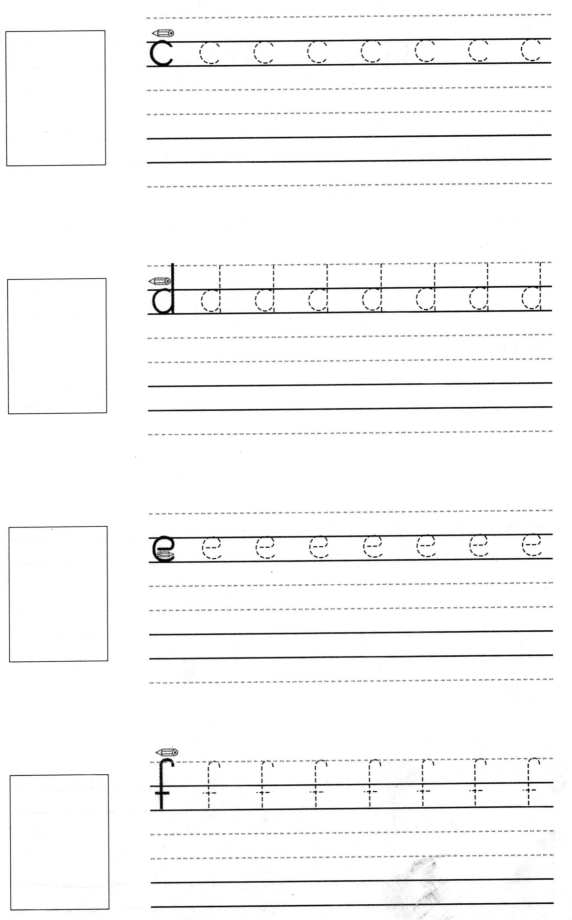

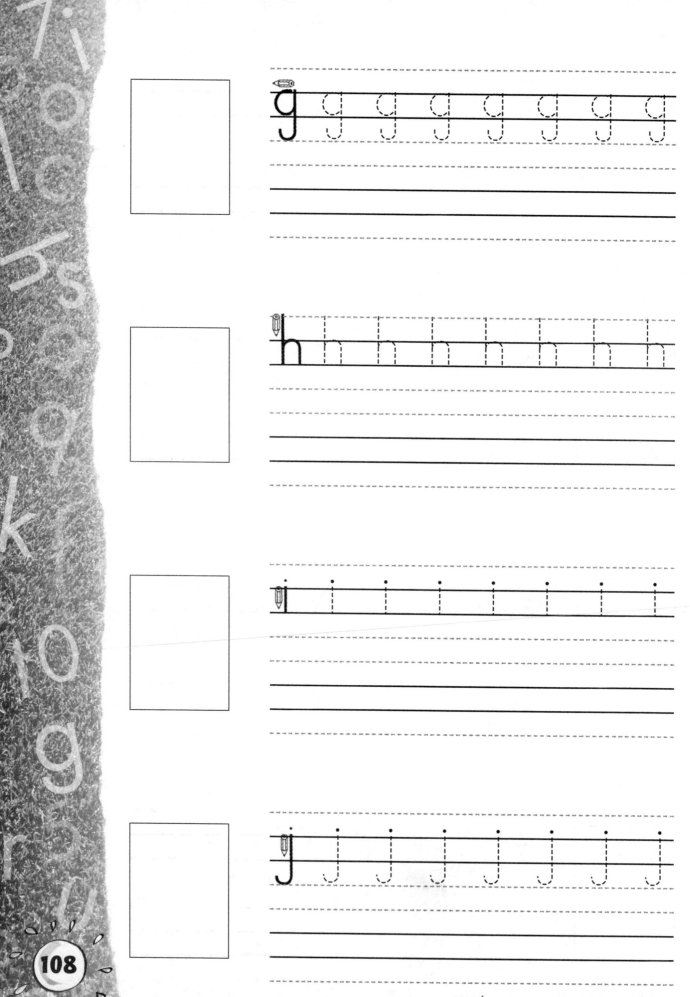

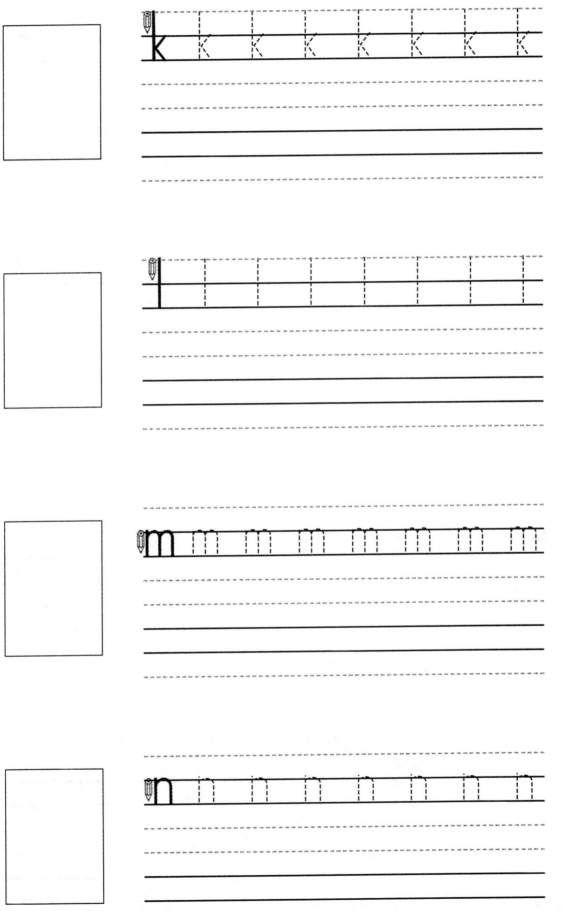

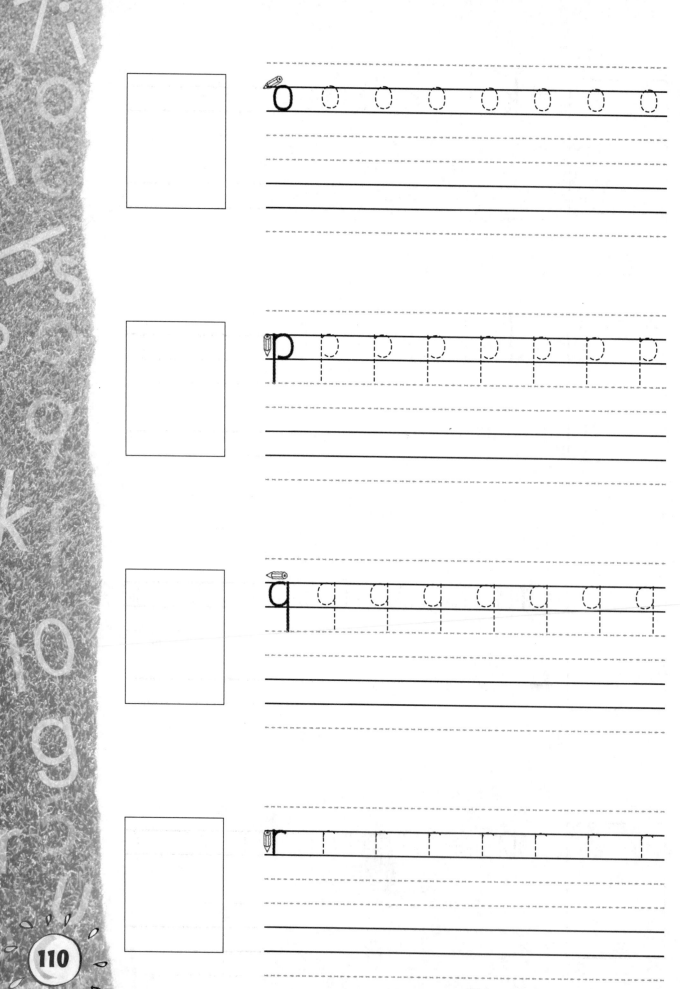

S S S S S S S S

t t t t t t t t

u u u u u u u u

v v v v v v v v

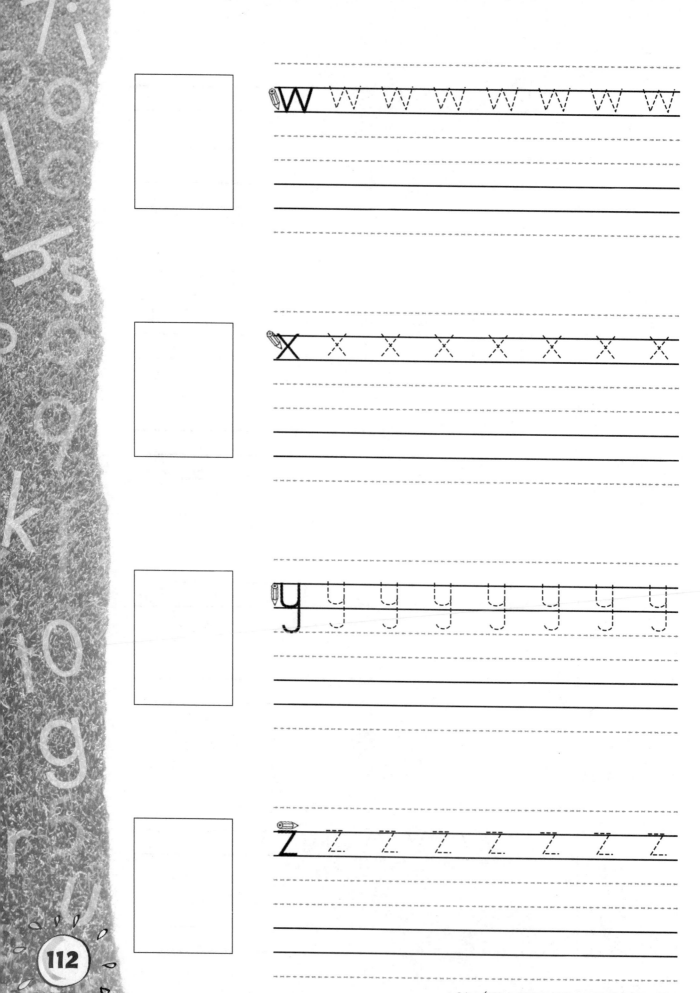

valise

orange   lapin   ballon   soulier   éléphant

raquette   quille   jupe   yo-yo   igloo

poisson   dé   ustensiles   abeille   koala

téléphone   zèbre   fleur   montre   wagon

hibou   nuage   xylophone   gâteau   canard

Super Zapp découvre les chiffres

Trace le chiffre

Colorie les bulles comportant seulement <u>un</u> dessin.

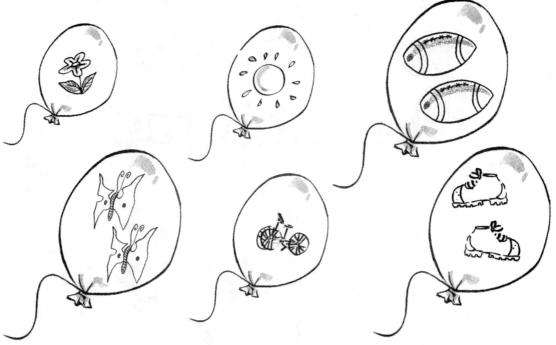

Trace le chiffre

2 2 2 2

Encercle les vêtements qui viennent par <u>paire</u>.

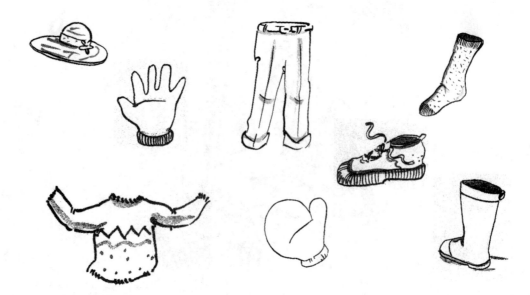

Trace le chiffre

3 3 3 3

Fais un X sur les bulles contenant <u>trois</u> coccinelles.

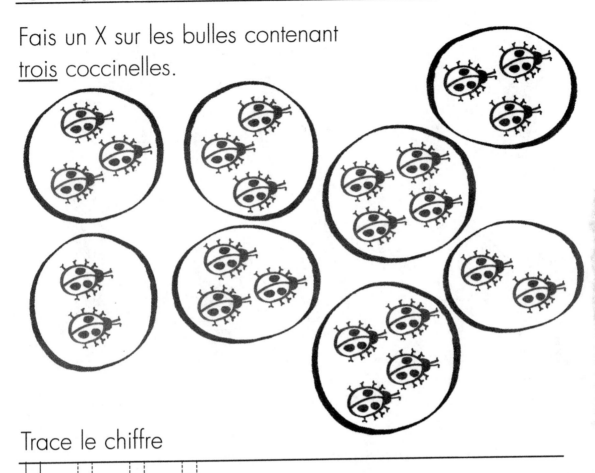

Trace le chiffre

4 4 4 4

Colorie les animaux ayant <u>quatre</u> pattes.

Trace le chiffre

5 5 5 5

Colorie les bouquets de <u>cinq</u> ballons.

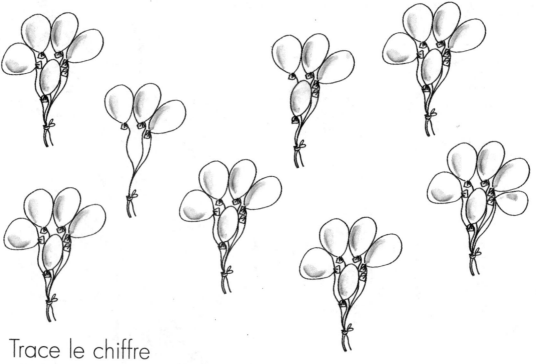

Trace le chiffre

6 6 6 6

Encercle les groupes de <u>six</u> dessins.

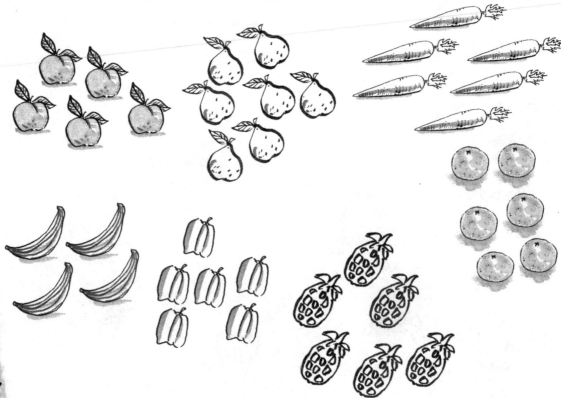

Trace le chiffre

7 7 7 7

Fais un X sur les poissons marqués
du chiffre <u>sept</u>.

Trace le chiffre

8 8 8 8

Colorie les gâteaux qui ont <u>huit</u> chandelles.

Trace le chiffre

9 9 9 9

Encercle les dominos à <u>neuf</u> points.

Trace le chiffre

10 10 10 10

Colorie les groupes de <u>dix</u> dessins.

Corrigé

page 14

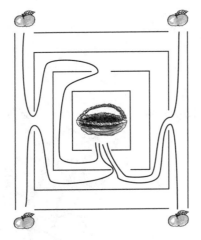

page 15

page 16   1

page 17   1. pommier   2. fille
                  3. pomme   4. panier

page 18

3.   6.

page 19

1.	2.	3.	4.

page 21

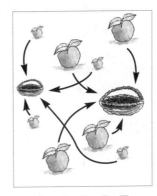

page 22   rouge : 1, 2, 5, 7
                  bleu : 3, 4, 6, 8, 9

page 23

page 24

page 25

page 26   Pomme de rainette
                  Et pomme d'api
                  Petit tapis rouge.
                  Pomme de rainette
                  Et pomme d'api
                  Petit tapis gris.

121

page 31   épaule, main, bras, jambe
tête, pied, épaule, nez
oreille, cheville, oeil, main
genou, cou, doigt, orteil
cou, épaule, genou, cheveu

page 33   1. pied   2. bouche
3. oeil   4. main

page 34
pluie : imperméable, chapeau de pluie, bottes
soleil : short, chapeau de soleil, t-shirt

page 35

page 36
tête : chapeau, casquette, tuque
corps : chandail, pantalon, chemise, jupe
main : mitaine
pied : botte, souliers, bas

page 38

page 39   bouche – 1   yeux – 2
nez – 1   bras – 2
doigts – 10   oreilles – 2
orteils – 10

page 40   1. bouche   2. oreilles
3. nez   4. yeux
5. mains

page 44

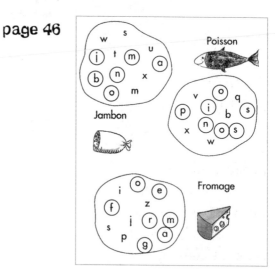

page 45   carotte

page 46

page 47   1. tomate, cerise
2. lait, noix
3. carotte, fraise
4. poire, poire

page 48   3. automne

page 49

page 50

i	a	r
g	z	k
l	m	c

z	p	o
b	m	e
m	a	i

b	m	a
f	ï	e
z	u	s

page 51

produits laitiers :
    yogourt, crème glacée, fromage
fruits et légumes :
    raisin, poivron, poire
produits céréaliers :
    riz, pain, céréales
viandes et substituts :
    salami, oeufs, poisson

page 52

page 53

4	
5	
2	
10	
7	
6	
8	

page 54   1. carotte   2. fromage
          3. banane   4. gâteau
          5. céréales

page 60

page 63
1. étoile
2. fusée
3. Lune
4. Mars
5. Saturne
6. Saturne

page 64
1. mardi
2. lundi
3. vendredi
4. jeudi
5. mercredi

page 65

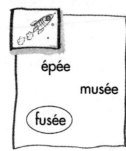

page 66

miel
Soleil
abeille

lune
prune
saturne

épée
musée
fusée

poire
toi
étoile

page 67
1. **terre** : ours, arbre, pupitre, humain
2. **espace** : étoile, Soleil, Lune, Saturne

page 68

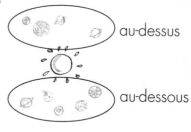 au-dessus

au-dessous

page 69
A. 6
B. 3
C. 4
D. 8
E. 9
F. 7

page 70
1. étoile
2. Lune
3. Soleil
4. Terre
5. Saturne

page 74

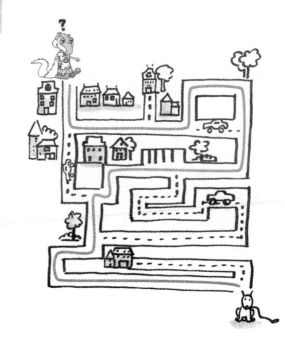

page 75
avec « e » : chien, cheval, girafe, écureuil, vache, renard
sans « e » : canard, chat, lapin, lion, cochon, mouton

page 76
lapin – carottes
vache – herbe
chien – os
poule – graines
singe – bananes

page 77   1. singe   2. vache
3. poule   4. chat

page 78
1. **banquise** : manchot, ours, morse
2. **désert** : lézard, renard, chameau

page 79

page 80   cheval – orignal
cochon – mouton
éléphant – serpent
hibou – loup
chat – panda
escargot – chameau

page 81
ferme : vache, cochon, cheval, mouton
jungle : singe, perroquet, lion, girafe
océan : dauphin, baleine, requin, poisson

page 82   1. éléphant   2. singe
3. girafe   4. cheval
5. tigre

page 83   A. 5   B. 2
C. 8   D. 3
E. 6   F. 7
G. 4   H. 9

page 84   1. chien   2. vache
3. lion   4. autruche
5. baleine

page 86

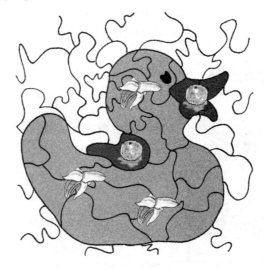

page 88

page 89   harpe

page 90   1. harpe   2. piano
3. tambour   4. violon
5. flûte traversière

page 91   1. tambour, piano
2. harpe, flûte
3. maracas, tambourin,
4. triangle, tuba, triangle

page 92 1. violon 2. jeudi
3. dimanche 4. tambour
5. mercredi 6. samedi

page 93

page 95

cordes : harpe, banjo, violon

vent : flûte, tuba, flûte traversière

percussion : maracas, triangle, xylophone

page 96 1. violon 2. harpe
3. flûte traversière
4. triangle 5. xylophone

page 97 5-bassons 7- saxophones
6-tambourins 4-accordéons
3-pianos 8-harmonicas

page 98 1. violon 2. piano
3. triangle 4. xylophone
5. saxophone

page 100 1. bec 2. oeil
3. ailes 4. pattes

page 106 a. abeille b. ballon

page 107 c. canard d. dé
e. éléphant f. fleur

page 108 g. gâteau h. hibou
i. igloo j. jupe

page 109 k. koala l. lapin
m. montre n. nuage

page 110 o. orange p. poisson
q. quille r. raquette

page 111 s. soulier t. téléphone
u. ustensiles v. valise

page 112 w. wagon x. xylophone
y. yo-yo z. zèbre

page 116

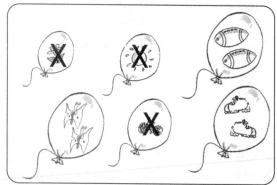

page 117

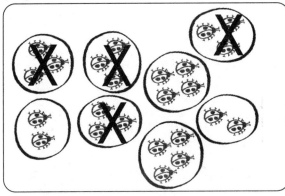

page 118

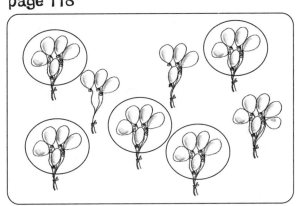

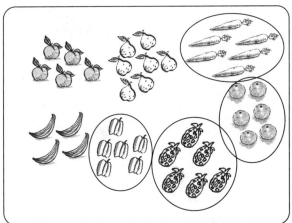

page 119

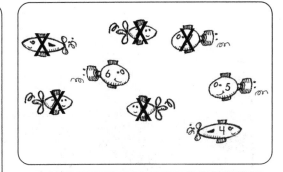

page 120

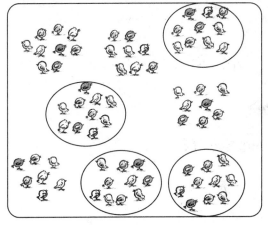